Para mi mamá, por alentarme a dibujar
mis miedos, y para mi papá, por compartir
conmigo algunos de los suyos.

Título original: *Me and My Fear*

Dirección editorial: Marcela Luza
Edición: Margarita Guglielmini y Florencia Cardoso
Traducción: Belén Sánchez Parodi
Armado: Cecilia Aranda

Publicado originalmente en inglés por © 2018 Flying Eye Books
© 2019 Vergara y Riba Editoras, S. A. de C. V. • www.vreditoras.com

México: Dakota 274, Colonia Nápoles
C. P. 03810, Del. Benito Juárez, Ciudad de México
Tel./Fax: (5255) 5220–6620/6621 • 01800–543–4995
e-mail: editoras@vergarariba.com.mx

Argentina: San Martín 969, piso 10 (C1004AAS) Buenos Aires
Tel./Fax: (54-11) 5352-9444 y rotativas
e-mail: editorial@vreditoras.com

Primera edición: febrero de 2019

ISBN 978-987-747-488-6

Impreso en México en Editorial Impresora Apolo, S. A. de C. V.
Centeno 150, local 6, Granjas Esmeralda,
Iztapalapa, C. P. 09810, Ciudad de México.

¡Tu opinión es importante!
Escríbenos un e-mail a
miopinion@vreditoras.com
con el título de este libro en el "Asunto".
Conócenos mejor en: www.vreditoras.com
 /VREditorasMexico
 /VREditoras

Francesca Sanna

# YO Y MI MIEDO

V&R
EDITORAS

Siempre tuve un secreto.
Una pequeña amiga llamada Miedo.

Ella siempre me ha cuidado y me ha mantenido a salvo.

Juntas hemos explorado cosas nuevas
y siempre fuimos unidas.

Pero desde que llegamos a este nuevo país,
Miedo ya no es tan pequeña.

Y sigue creciendo y creciendo.

Quiero salir a conocer mi nuevo barrio...

...pero **Miedo** no me lo permite.

Y cuando tengo que ir a la escuela,
no quiere que vaya.

Miedo detesta mi nueva escuela.
Cuando la maestra dice mal mi nombre, se enoja...

...aunque yo sepa que lo hizo sin querer.

En el recreo, Miedo no me deja estar con otros. Me quiere toda para sí.

Siento que nadie me entiende,
y yo tampoco entiendo a nadie.

Cuando termina la escuela, Miedo está ansiosa por volver a casa.

Y durante la cena, come todo lo que puede.

Por la noche, en mi nueva habitación,
Miedo ronca tanto que no puedo dormir.

Cada día me siento
más sola.

Miedo dice que es porque
nadie me quiere.

A decir verdad, ¡no me gusta este lugar!

Pero… ¿qué está pasando?
Un chico de mi clase me quiere mostrar algo.

Enseguida empezamos a dibujar y a pintar juntos.

En el recreo, quiero salir
a jugar con él.

Corremos por el patio y, de repente,
un perro nos ladra a través de la cerca.

"¡**AHHHH**!", grita el chico y se esconde rápidamente detrás de algo extraño y pequeño.

¡Tiene un miedo secreto como yo!

Pensé que yo era la única que tenía uno.

Miedo se está volviendo cada vez más pequeña.
Y la escuela ya no es tan difícil.

Todavía me cuesta entenderlo todo, pero he descubierto
que mis compañeros también tienen miedos...

...¡y a veces jugamos todos juntos!

## NOTA DE LA AUTORA

Soy una persona muy ansiosa y, por momentos, cuando trabajaba en este libro, mi miedo crecía demasiado y me apretaba con fuerza. No habría tenido éxito sin la preciada ayuda de muchas personas. En primer lugar, agradezco a todos y a cada uno de los niños que conocí en las escuelas y bibliotecas, por estar siempre dispuestos a compartir conmigo sus miedos de ser los nuevos, los diferentes, los de otros países. Evitaron que mi miedo creciera demasiado.

También estoy inmensamente agradecida por el apoyo y las valiosas ideas de la Dra. Jessica Reinisch y de todos los que participaron en el proyecto The Reluctant Internationalists de Birkbeck, Universidad de Londres, quienes me acogieron y me ayudaron en la investigación para este libro. Finalmente, me gustaría agradecer a Harriet, que creyó en este proyecto y me ayudó a unir todas las piezas.